Los ojos del perro siberiano

ANTONIO SANTA ANA

Fotografía de cubierta:
Sergio Vanegas

G R U P O
EDITORIAL
norma

http://www.norma.com
Barcelona, Bogotá, Buenos Aires, Caracas, Guatemala,
Lima, México, Miami, Panamá, Quito, San José,
San Juan, San Salvador, Santiago de Chile.

Primera reimpresión
Segunda reimpresión
Tercera reimpresión
Cuarta reimpresión
Quinta reimpresión
Sexta reimpresión
Impreso por Cargraphics S.A. – Impresión Digital
Impreso en Colombia – Printed in Colombia
Enero de 2001

Dirección Editorial, María Candelaria Posada
Dirección de arte, Julio Vanoy
Diagramación, Ana Inés Rojas

ISBN: 958-04-4391-2

CONTENIDO

Para Sandra, por supuesto.

¿NO CREE QUE ES ESO PRECISAMENTE
LO QUE LA LITERATURA DEBE HACER,
PROVOCAR DESASOSIEGO?

Antonio Tabucchi

Es terrible darse cuenta de que uno tiene algo cuando lo está perdiendo.

Eso es lo que me pasó a mí con mi hermano.

Mi hermano hubiese cumplido ayer 31 años, pero murió hace 5.

Se había ido de casa a los 18, yo tenía 5 años. Mi familia nunca le perdonó ninguna de las dos cosas, ni que se haya ido, ni que se haya muerto.

Esto, si no fuera terrible, hasta sería gracioso.

Pero no lo es, lamentablemente.

Perdonen si este párrafo es confuso. Quiero contar toda la historia esta noche.

Mañana me voy .

Tal vez si logro repasar mi historia en voz alta, aunque sea una vez, me sienta más liviano en el momento de tomar el avión.

Pero no sé si podré.

I

Nosotros vivimos en San Isidro en una de esas grandes casonas de principio de siglo, cerca del río.

La casa es enorme, de ambientes amplios y techos altos, de dos plantas. En la planta baja, un pequeño hall, la sala, el comedor con su chimenea, el estudio de mi padre, donde está la biblioteca, la cocina y las habitaciones de servicio. En la planta alta están los dormitorios, el de mis padres, el de mi hermano y el mío, un cuarto para que mi madre haga sus quehaceres (siempre fue denominado así: para los quehaceres de mi madre, he vivido toda mi vida en esta casa y no sé cuáles son los quehaceres que mi madre realiza en ese cuarto) y un par de habitaciones vacías. Obviamente también hay baños, dos por planta.

La casa está rodeada por un gran parque, en la parte de adelante hay pinos y un nogal , detrás los rosales de mi madre y sus plantas de hierbas. Mi madre cultiva y cuida sus hierbas con un amor y una dedicación que creo no nos dio a nosotros. Estoy exagerando, pero no mucho. Cultiva orégano, romero, salvia, albahaca, tres tipos de estragón, tomillo, menta, mejorana y debo estar olvidándome de varias.

En la primavera y el verano las utiliza frescas, un poco antes del otoño las seca al sol y las guarda en frascos en un sitio oscuro y seco.

En realidad no sé por qué les cuento esto, no tiene mucho que ver con nada y no es importante. Pero cada vez que me imagino a mi madre, la veo arrodillada o con unas tijeras de podar, sus guantes, un sombrero de paja o un pañuelo, hablándoles a sus plantas.

Uno de los momentos más felices de mi niñez era cuando me llamaba y me pedía que la acompañara. Me explicaba cuál era cuál, qué tipos de cuidados requerían, cómo curarlas cuando las atacaba el pulgón o alguna otra plaga, o cómo podar el rosal.

No es que a mí me interesara la jardinería particularmente, pero el solo hecho de que ella quisiera compartir conmigo esa actividad a la que se dedicaba con tanto esmero bastaba para hacerme sentir dichoso.

Podía quedarme horas doblado en dos revolviendo la tierra, abonando las plantas sin importar el clima.

Tal vez cuando ustedes evocan su niñez y sus momentos felices, recuerdan algún paseo o unas vacaciones. No sé. Yo evoco el olor de la tierra y el de las hierbas. Aún hoy, tantos años después, basta el olor del romero para hacerme feliz. Para hacerme sentir que hubo un momento, aunque haya sido sólo un instante en que mi madre y yo estuvimos comunicados.

* * *

Con mi padre la relación era, o debo decir es, mucho más fácil. Yo me ocupaba de mis asuntos y él de los suyos. Me explico mejor: Si yo me ocupaba de sacar buenas notas, hacer deportes (natación y rugby), obedecerlo y respetarlo, no tendría ningún problema. El, bueno, él... él se ocupaba de lo suyo, es decir de sus negocios y sus cosas, cosas que nunca compartió con nosotros.

Mi padre es, aún hoy con sus sesenta y cinco años, un tipo corpulento. Fue pilar en el San Isidro Club en su juventud y, cuarenta años después, cuando yo jugaba al rugby en la divisiones infantiles, había gente que lo recordaba. Tiene una mirada terrible, una de esas miradas que bastan para que uno se sienta en inferioridad de condiciones, una de esas miradas que hacen que su portador vaya por el mundo pisando todo lo que le ponen en el camino. Supongo que no hace falta decir el pavor que sentía ante la posibilidad que enfocara en mí sus ojos azules asesinos.

Mi hermano había sido su orgullo, el primogénito y el primer nieto de la familia. En las fotos de cuando Ezequiel era chico y estaba con papá, hay una expresión de felicidad, una gran calma y un indisimulado orgullo en los ojos de mi padre.

Ezequiel nació pesando más de cuatro kilos, el pelo negro como el de mi madre y los ojos azules como los de él. Era una perfecta síntesis de lo mejor de cada uno de ellos, la cara ovalada, la nariz recta. Un precioso niño.

Cuatro años después mi madre quedó otra vez embarazada, pero el bebé, una niña, murió en el parto. En ese momento decidieron no tener más hijos. Después cuando mamá volvió a quedar embarazada no lo podían creer. Ezequiel colmaba todas sus expectativas, era un buen alumno, un hijo ejemplar, era todo lo que habían deseado. Se imaginarán que de ese embarazo nací yo. Ezequiel me confesó muchos años después que me odió por eso. Odió a ese bebe que no era ni grande, ni lindo (yo tengo la combinación inversa; el pelo castaño de mi padre y los ojos marrones de mi madre). Me odió por haber llegado a romper esa química , por haberlo desplazado del centro de atención en el que estaba hacía trece años, hacia la periferia.

II

Seguro que mi primer recuerdo es ése. El del día que Ezequiel se fue de casa. No es que recuerde exactamente la situación, pero sí que yo estaba en mi cuarto y no podía salir; y una cierta tensión en el aire.

Después no vi más a mi hermano hasta la primera fiesta, creo que era el cumpleaños de mamá.

Cuando preguntaba por él me contestaban que estaba estudiando, o con alguna de esas evasivas tan típicas de mi familia.

Yo ya sabía que no vivía más con nosotros, está claro que no se le puede ocultar algo así a un chico, por más que tenga cinco años. Había revisado, a escondidas, su habitación y sabía que no estaba su ropa, es más, yo me había llevado su Scaletrix, que jamás quiso prestarme, y al no reclamármelo intuía que algo no era normal.

Mentiría si dijera que eso me inquietó. Sólo era una situación nueva, distinta de la habitual. Y me proponía disfrutarla.

* * *

Durante los años que vivimos juntos yo admiraba a Ezequiel, él era mi héroe, era grande, fuerte, todos le prestaban atención cuando hablaba.

Lo trataban como a alguien importante. Como a un adulto.

No sabía entonces, y por cierto que no lo sé ahora, cuáles son los mecanismos que mueven la mente de los niños. Pero supongo que sentí que al no estar mi hermano en mi casa automáticamente toda esa atención caería en mí. Eso de algún modo fue cierto, no como yo lo esperaba, pero sucedió.

Al no estar Ezequiel en casa, yo gané un gran espacio pero no por presencia propia sino por su ausencia.

Mis padres pensaban que ya que se habían equivocado con mi hermano, no cometerían esos mismos errores conmigo.

* * *

Dije antes que mi primer recuerdo es de cuando Ezequiel se fue de casa, y es cierto. Pero tengo lo que yo llamo "recuerdos implantados", esas anécdotas que se comentan en las reuniones, habitualmente en tono jocoso, año tras año. Así pude enterarme de que, estando enfermo, a los tres años no había forma de dormirme, sólo lo hacía si Ezequiel me acunaba y me cantaba una canción.

Bueno, ese tipo de cosas. Ustedes ya saben, las familias se encargan de que sepamos todo tipo de anécdotas, por tontas que sean, más si nos abochornan (estas últimas no pienso mencionarlas aquí).

III

Se supone que a los amigos se los elige. A Mariano yo nunca supe si lo elegí o si cuando llegué al mundo simplemente él me estaba esperando.

Su padre había sido compañero de estudios del mío, se hicieron amigos, tuvieron algunos negocios en común y aún hoy se encuentran todos los sábados a la mañana en el club para jugar al tenis.

Con Mariano estuvimos juntos desde el jardín de infantes, durante casi todo el colegio primario nos sentamos juntos, íbamos al mismo club. Hasta un poco después de mis 11 años fuimos inseparables.

Una tarde volvía de su casa hacia la mía. Eran cerca de las seis. Caminé las dos cuadras que las separaban pateando las hojas caídas de los árboles, por eso recuerdo que era otoño.

Habíamos ido juntos al colegio y luego al club, estoy seguro porque entré a mi casa por la puerta de la cocina dejando mis zapatillas embarradas en el lavadero. Entrar por la puerta principal embarrando el piso era causa suficiente para ser desheredado.

Por eso recuerdo tan claramente que entré por la cocina.

Por eso no me oyeron entrar.

Iba caminando hacia mi cuarto y al pasar frente a la puerta del despacho de mi padre escuché la voz de Ezequiel, abrí la puerta para saludar y vi a mi madre con la cara entre las manos, levantó la vista al oír la puerta y tenía los ojos llenos de lágrimas.

Yo no entendía qué era lo que estaba pasando, busqué a mi alrededor alguien que me explicara algo. Ezequiel bajó la vista y no me devolvió la mirada.

El que si me miró, y cómo, fue mi padre. Tenía esa mirada que yo había tratado toda la vida de evitar.

–Andá a tu cuarto –me dijo. Me quedé inmóvil. No entendía nada.

¿Por qué mamá estaba llorando? ¿Por qué Ezequiel no me saludaba?

AN– DÁ– A– TU– CUAR– TO – TE– DI–JE– Creo que si una serpiente de cascabel hablara sería más dulce que mi padre. Había tanta ira en cada una de esas sílabas, que no esperé que me las repitiera. Cerré la puerta y subí corriendo. A pesar de los años transcurridos, recordé el día en que Ezequiel se fue de casa.

Las dos veces había estado confinado en mi cuarto, pero esta vez lo que flotaba en el aire no era tensión, era violencia.

No sé qué habrían hecho ustedes, pero lo primero que hice fue llamar a Mariano.

Atendió la madre:

—¿Vos no sos el mismo que hasta hace 15 minutos estuvo con él?– se burló–. Ya te paso.

Cuando Mariano se puso al teléfono le resumí la situación lo mejor que pude y se rió bastante con mi imitación del "an–dá–a–tu–cuar–to–te–di–je".

Cuando pudo parar de reír me dijo:

—Me parece que tu hermano la cagó otra vez.

IV

Con Mariano nos habíamos enterado hacía un año de los motivos que desencadenaron que Ezequiel se fuera de casa. Nos enteramos de todo porque, ya lo he dicho, nuestros padres eran amigos, el padre de Mariano se lo contó a su madre y ella a Florencia, la hermana de Mariano tres años mayor que nosotros, como ejemplo de las cosas de las que se debía cuidar. Una vez que lo supo Florencia a que lo supiéramos nosotros hubo un solo paso. Extorsión mediante, debo decirlo. Florencia siempre ha sido buena para hacer negocios.

La historia fue así: Ezequiel salía desde los 13 con una chica llamada Virginia, también el padre de ella era amigo de papá. En el ambiente donde nosotros nos movemos es difícil relacionarse con alguien si nuestras familias no lo están de alguna manera, o son compañeros del club de papá, o lo fueron de estudios, o tienen negocios en común, o nuestras madres son amigas, etc. En resumen, Ezequiel salía con Virginia, que hasta había estado unas vacaciones con nosotros en el campo de la abuela. Esto no es un "recuerdo implantado", he visto fotos, ya que el nombre de Virginia ha dejado de mencionarse en nuestra casa.

Me estoy yendo por las ramas. El tema es el siguiente: Virginia quedó embarazada y el embarazo fue interrumpido.

Cuando el padre de Virginia se enteró, fue a pedirle explicaciones a papá y a exigirle que Ezequiel se casara con su hija.

Papá, con el buen humor que lo caracteriza (estoy siendo irónico), quiso obligar a Ezequiel a casarse con Virginia.

Ezequiel dijo que no, que ni loco, la discusión fue subiendo y subiendo de tono, hasta terminar con Ezequiel yéndose de casa y abandonando sus estudios.

–Me parece que tu hermano la cagó otra vez –me dijo Mariano y yo me quedé pensando si no tendría razón.

V

Esa noche no me llamaron a cenar. A la mañana siguiente en el desayuno nadie habló, algo que era bastante habitual.

Pero las caras de mis padres expresaban que no habían dormido.

Obvio que tampoco pregunté nada. Lo lógico hubiese sido que yo dijera:

–Miren, está todo bien, yo soy parte de la familia, Ezequiel es mi hermano, si se mandó otra cagada tengo derecho a saberlo. No me parece justo estar enterándome por terceros. Además ya tengo 10 años. Me merezco una explicación. Así que cuéntenme todo.

Ya lo dije, no pregunté nada. Valoraba lo suficiente mi pequeña vida como para desafiar a mi padre.

Si bien es cierto que el nombre de Ezequiel no se mencionaba habitualmente en casa, después de ese incidente la sola mención de su nombre provocaba chispas.

Yo no tenía idea de lo que podía haber pasado, la actitud de mis padres me sonaba exagerada. Mi madre había descuidado su jardín, algo que se notaba a simple vista. Y mi padre...bueno, su malhumor superaba todo lo imaginado.

Me dediqué, aprovechando que nadie me prestaba atención, a espiar sus conversaciones y ...nada. Lo único que escuchaba era a mi madre llorar y a mi padre insultar y decir a cada rato:

–¿Por qué a mí? ¿Por qué, eh? Después enumeraba todo lo que le había dado a Ezequiel, colegios, viajes, deportes, etc. Parecía tener todo anotado en algún lugar, una suerte de inventario educacional.

Yo creí que mi hermano le había hecho algo directamente a él, después de todo mi padre no preguntaba: ¿por qué a nosotros? sino ¿por qué a él?

Con Mariano nos propusimos avanzar hasta el fondo del asunto, pero por más que intentamos sobornar a Florencia ella tampoco pudo averiguar nada. Si no se lo habían contado al padre de Mariano debía ser más grave de lo que imaginábamos.

Sólo tenía dos opciones: preguntarles a mis padres o a Ezequiel.

Opté por la segunda.

Lo único que faltaba resolver era cuándo. Yo nunca había ido a la casa de Ezequiel, es más, tampoco sabía donde vivía. Tardé 3 ó 4 días en encontrar su dirección en una libreta de mamá. Entonces me dispuse a hacer un viaje, un viaje en el 60, un viaje en colectivo. De San Isidro a Palermo. Un viaje de 40 minutos.

Un viaje que cambiaría mi vida para siempre.

VI

En la literatura hay una gran tradición de viajes, no me refiero a los espaciales ni a los de piratas , sino a esos viajes que los protagonistas realizan para volver al mismo lugar pero transformados.

Si algún día se escribiera la novela de mi vida, suponiendo que tuviera interés para alguien, habría que dedicarle gran espacio a ese viaje que ni siquiera me acuerdo en qué fecha realicé.

Ese día fue la primera vez que mentí a mis padres. Mariano, que sabía adónde iba, se ofreció a cubrirme. Se suponía que yo iba a estar en su casa un rato antes de nuestro entrenamiento de rugby, lo que me daba un poco más de tres horas para ir y volver.

Para ser fiel a la verdad debo decir que en ningún momento se me pasó por la cabeza la posibilidad de que Ezequiel no estuviera en su casa. Yo iba a pedirle explicaciones acerca de lo que estaba haciendo infeliz a mi familia, su obligación era la de estar. Y estaba.

Cuando abrió la puerta del departamento saltó sobre mí un enorme perro siberiano (no era tan enorme, me di cuenta después, es que yo nunca me llevé bien con los perros, ni ellos conmigo).

–No...no sabía que te...tenías un perro– tartamudeé, mientras me lamía la cara.

–Están iguales – contestó–, él no sabía que yo tenía un hermano. ¿Pasás? ¿O te pensás quedar en la puerta?

Pasé. Entramos directamente al comedor y me senté en una silla. Se hizo un silencio incómodo, largo. Él lo rompió.

–¿Los viejos saben que estás acá?

Negué con la cabeza.

–Muy bien, muy bien. Las nuevas generaciones aprenden rápido. Yéndote de casa sin permiso a los 10, me imagino qué cosas harás a mi edad– dijo y se rió.

Eso me molestó. Yo estaba ahí para pedirle explicaciones. No para que él me las pidiera a mí. Yo estaba ahí para saber qué era lo que había hecho ahora ese desalmado que hacía que mi madre llorara todo el día. Me armé de valor y le dije:

–¿Hace mucho que lo tenés ... este...digo ... al perro?

Ezequiel se puso serio por primera vez. Antes estaba divertido por mi presencia, sabía que había ido a buscar algo, y que no me atrevía a preguntar. Pero igual me contó la historia.

–Hace poco más de un año y medio, fui con Nicolás a la casa de una amiga suya. ¿Te acordás de Nicolás? Bueno, no importa. Lo importante es que la amiga criaba perros siberianos. Éste se llama Sacha. Era el más chiquito de la cría, el último que nació. Por eso lo iban a matar.

–¿En serio lo iban a matar? Si es hermoso.

–Sí que es hermoso, ¿no es cierto?– dijo acariciándolo–. Pero a los últimos de cada cría los criadores los matan, son los más débiles, los menos puros de la raza. Los criadores viven de la pureza, ese es su negocio, no les conviene que haya perros impuros dando vueltas por ahí. Si vos conocés a otros perros de esta raza, te podés dar cuenta que éste tiene las orejas un poco más grandes y...

–Tiene los ojos marrones– interrumpí.

–Eso no tiene nada que ver. Además a mí me gustan así, marrones. Hay un cierto aire de verdad en los ojos de los perros siberianos, como si supieran nuestros secretos. Bah, esto es un delirio mío, no me hagás caso.

–Pero lo que no puedo creer es que los maten.

–La gente no entiende nunca al que es diferente. En una época los metían en manicomios, en otras en campos de concentración– suspiró–. La gente le tiene miedo a lo que no entiende. Si la sociedad margina a los que son diferentes, qué destino puede tener un perro que tiene las orejas un poco más grandes.

Otra vez se hizo silencio. Yo lo rompí.

–¿Por qué los viejos están tan enojados con vos?– Pregunté rápidamente y casi sin respirar.

–Porque tengo SIDA– contestó.

VII

Aquella tarde, después de bajarme del colectivo (algunas paradas antes), me quedé dando vueltas por el barrio.

Mi barrio, en el que había vivido toda mi vida, me parecía distinto. Como una gran escenografía. Y yo era un actor en esa obra. Un actor de reparto.

Me sentía liviano y pesado a la vez, si es que acaso eso es posible. Tenía frío y calor. Transpiraba y las orejas me ardían.

Mucho más tarde de lo que debía, me decidí a ir a casa. Ensucié mi ropa deportiva para no levantar sospechas y traté de encontrar alguna excusa convincente para explicar mi demora. Nunca me habían pedido explicaciones, pero al saber que tenía que mentir, me sentía en inferioridad de condiciones.

En casa no había nadie. Encontré una nota en la puerta de la heladera explicando que mis padres habían salido, no recuerdo a dónde, y que la cena estaba en la heladera para calentar en el microondas. No cené.

Subí a mi cuarto, tenía mucho en que pensar. No sé cuanto tiempo estuve así, tirado en la cama y con la luz apagada. Hasta que sonó el teléfono.

–¿Hace mucho que llegaste? Creí que me ibas a llamar. ¿Cómo te fue?– obviamente era Mariano.

–No, llegué recién– fue todo lo que atiné a decir.

–¿Y? Contáme qué te dijo...

–Nada...no...no estaba. Eso, no estaba –mentí de la forma más convincente que pude.

–¿Y por qué tardaste tanto en volver?

Así son los amigos, uno quiere estar solo, pensar, terminar una conversación y ellos lo someten a uno a un interrogatorio.

–Lo que pasa...es...es...que me perdí. Me perdí. No encontré la parada del colectivo para volver. Me fui caminando para el otro lado –realmente ni yo me lo creí, mi voz estaba toda temblorosa, muy poco convincente.

–¿Te pasa algo, estás un poco raro? –insistió él.

–Estaba yendo para el baño cuando sonó el teléfono.

–Ah, bueno –Mariano se rió–. Andá tranquilo no quiero que te ensucies los pantalones por mi culpa. Nos vemos mañana.

Y cortó. Por fin.

Tenía muchas cosas en qué pensar, muchas cosas que no entendía.

Prendí la tele, buscando algo que me distrajera un poco. El lío que tenía en la cabeza era como un gran ovillo que no tenía ni principio, ni final. Al menos por el momento. Al menos para mí.

Me encontré mirando "Tarzán en New York", una de esas tantas películas horribles, con uno de esos tantos tarzanes horribles. La historia era así, unos cazadores capturaban a Chita y la subían a un barco. Tarzán se subía a otro barco para ir a rescatarla, y el barco lo llevaba a Nueva York. Al llegar, se tiraba al río y se trepaba al puente (ése que aparece en todas las películas) y se quedaba parado con expresión de oligofrénico, mientras los autos pasaban y la gente le gritaba cosas en un idioma que él no entendía. Después se enganchaba a una rubia fenomenal (Jane) y rescataba a Chita. Pero eso no es lo que importa. Lo que importa es que yo me sentía como Tarzán en el puente.

Desnudo y rodeado de cosas que no entendía.

VIII

Ezequiel me observó un buen rato y después siguió acariciando a Sacha.

PorquetengoSIDAporquetengoSIDA porquetengoSIDA. La frase me retumbaba en la cabeza.PorquetengoSIDAporque-tengoSIDAporquetengoSIDA. Yo tenía la boca abierta y una expresión de alelado total.

–¿Cómo te contagiaste? –pregunté en un hilo de voz.

Me miró fijo. Tenía un brillo en los ojos que yo conocía bien. En ese momento me di cuenta cuánto se parecía a mi padre. Mucho más de lo que cualquiera de los dos fueran capaces de admitir.

–Bien, bien, bien. Por fin nos sinceramos. Acá tenemos a un futuro criador de perros. ¿Te mandó tu padre? –hizo silencio un momento, yo no me sentía capaz de balbucear nada.

–¿Acaso tiene importancia cómo me contagié? –continuó–. Digno representante familiar hacer una pregunta tan imbécil. ¿Qué estás esperando que te diga? ¿Qué soy homosexual? ¿Drogadicto? ¿Qué me contagió el dentista? ¿Eh? ¿Vos creés que eso tiene alguna importancia? Lo único que realmente tiene importancia, es que me voy a morir, que no sé cuánto tiempo de vida tengo. Y que por más que viva eternamente nunca voy a poder tener una vida normal.

"Estás siendo injusto conmigo", pensé, "me escapé de casa para venir a verte, vos sabés muy bien qué me puede pasar si papá se entera que estoy acá. Soy tu hermano, no tenés derecho a hablarme así. No te quería ofender, en serio, no sabía que hablar de esto te molestaba. Disculpáme. ¿Homosexual, drogadicto? ¿De qué estás hablando? No te quería molestar".

Pero dije: –Mejor me voy.

Y me fui.

IX

–Anoche no cenaste –dijo mi madre cuando bajé a desayunar.

–No me sentía bien, no es nada, ya pasó.

–¿Nada? Para que vos no cenes...Si querés podés faltar al colegio.

–En serio mamá, no es nada –y la abracé, la abracé muy fuerte. Nosotros no somos de esas familias que se la pasan besándose y abrazándose. Por eso ella me miró extrañada.

–¿Y eso? ¿Te agarró un ataque de cariño? ¿Seguro que querés ir al colegio?

–Sí, mamá –le dije con mi mejor expresión de fastidio. Realmente prefería ir al colegio a quedarme en casa. Quería tener la cabeza ocupada en algo, aunque ese algo fuera la profesora de matemáticas.

En el colegio estuve insoportable. Tenía miedo de que Mariano se diera cuenta de que estaba preocupado y comenzara con uno de sus interrogatorios, en los que siempre lograba ganarme por cansancio.

Necesitaba tranquilidad para pensar algo que me estaba dando vueltas en la cabeza desde la noche. Si a Ezequiel no le importaba lo que a mí me pasara, a mí no tenía que importarme él. Después de todo yo nunca había tenido un hermano, nunca había contado con él. Había vivido la mitad de mi vida sin él y podía seguir así tranquilamente. No me importaba que tuviera SIDA o lo que fuera. Si era por mí, Ezequiel se podía ir a la mismísima mierda.

X

–¿Una partida?

Así era desde hace años. Mi padre se acercaba y decía "¿una partida?", en un tono que se asemejaba más a una orden que a una pregunta. Yo contestaba: "si, papá". Aunque estuviera haciendo la tarea, jugando o mirando la tele, me levantaba, caminaba hasta su estudio y me disponía a aceptar otra sesión de ajedrez.

"Mens sana in corpore sano". Este era el axioma de mi padre. Me obligaba a hacer deportes, a jugar al ajedrez (al menos una vez a la semana) y me sometía a largas sesiones de música clásica. Mi padre amaba esa música, en especial a Wagner, y quería trasmitirme ese amor.

No lo logró. Salvo Bach o Mozart, o las sonatas de Beethoven, esas horas que dedicaba a hacerme escuchar música se parecían más a una tortura que a un placer.

–Jaque mate. Hacía mucho que no te ganaba tan rápido. Estás desconocido.

–Es que ...jugaste muy bien papá.

–No me mientas, yo te enseñé a jugar, sé que no estás concentrado –y frunció el ceño.

Esos son los momentos en la vida en los que parece que los segundos duran años, y en los que me odiaba por no tener una imaginación frondosa.

–Es que...estoy pensando en mi cumpleaños.

–¿Tu cumpleaños? Pero si faltan como veinte días –y se rió–. ¿No tendrás algún problema en la escuela?

Lo negué. No recuerdo cómo continuó la conversación, pero habíamos entrado en un terreno que me favorecía. Siempre fui un buen estudiante, la escuela era uno de los pocos lugares donde me sentía seguro de salir bien parado. Insisto, no recuerdo cómo terminó la conversación. Pero conociendo a mi padre estoy seguro de que fue comprometiéndome a otra partida al día siguiente.

XI

En esos días comencé a tener una pesadilla que me persiguió por años.

Un viajero sediento camina por el desierto, ve la sombra de un ave de rapiña, pero no al ave. Si mira hacia el cielo el sol lo ciega. Sólo ve la sombra amenazante haciendo círculos cada vez más cerrados, cada vez más cerca.

XII

El domingo de esa semana vino a visitarnos la abuela, lo recuerdo bien.

Ella vivía en el campo, y tenía un departamento en Barrio Norte, que utilizaba cuando venía a la ciudad por algún motivo. Nosotros la visitábamos al menos una vez por mes, y pasábamos el fin de semana en su casa.

Yo amaba esos días. Días de levantarse temprano para ayudar en el ordeñe. Días de andar a caballo y comer manzanas que arrancaba del árbol.

Era muy raro que mi abuela dejara su casa un fin de semana, sólo lo hacía de lunes a viernes y trataba de volver al campo en el día.

Era común sí, encontrármela un miércoles a la salida de la escuela y almorzar juntos, ella se apuraba en regresar temprano.

–Ya estoy vieja para manejar con tanto tránsito –decía y se reía–, mejor temprano a casa que mañana hay que madrugar.

Ese domingo, ni bien llegó a casa, mi padre la sometió a un interrogatorio preguntándole por qué había venido, si se sentía bien, si tenía algún problema, etc. Mi abuela lo toleró un buen rato hasta que le contestó algo así como que estaba bastante grande para responder esas cosas y que creía que podía venir a nuestra casa cuando quisiera. Mi padre se quedó mudo, y mi madre y yo también, era la primera vez que yo veía a alguien contestarle así a mi padre y dejarlo sin palabras. En ese momento sentí que quería a mi abuela un poquito más que antes.

* * *

Almorzamos pollo con hierbas, frutas y alguna cosa más. El almuerzo transcurrió como transcurren habitualmente este tipo de encuentros, charlas sobre el tiempo, el colegio, las vacaciones pasadas, las que vendrán.

Estuve todo el tiempo divertido contemplando a mi abuela, me duraba el asombro por la forma en que había tratado a mi padre. Después del café, continuamos nuestra conversación en la sala, hasta que mi abuela se levantó para ir a sentarse al jardín.

Durante un rato la observé desde la ventana de mi habitación, sentada sobre el banco de piedra a la sombra de los pinos, después me decidí a acompañarla.

—Tu padre se asombra de que venga a almorzar un domingo con ustedes, pero siempre que vengo me hacen lo mismo de comer : ¡pollo con hierbas!

Nos reímos, era cierto. Desde hacía años cuando alguien venía a comer mi madre cocinaba lo mismo. Variaba los acompañamientos y las entradas pero no el plato principal. Era algo muy extraño. Rara vez mi madre repetía un menú durante el mes cuando cocinaba para nosotros, es más, es una excelente cocinera. Nunca un plato tuvo dos veces el mismo sabor, siempre modifica algo, siempre encuentra algún ingrediente que modificar, aun en cantidades ínfimas, " tal vez media cucharadita más de paprika", o cosas por el estilo.

De ahí que resulte más ridícula su obsesión por el pollo con hierbas; aunque para hacer honor a la verdad, siempre estaba exquisito.

Cuando paramos de reír, hablamos de lo que siempre hablábamos entre nosotros: el campo.

Me contó acerca de Noche, una yegua que a mí particularmente me gustaba. Siempre en mis visitas, hiciera frío o calor, con lluvia o con sol, iba hasta el corral, me acercaba despacio, le daba terrones de azúcar, la acariciaba y recién después la montaba. Era una suerte de ritual que compartíamos, Noche me miraba llegar y seguía en lo suyo, no levantaba las orejas, no hacía ningún gesto. Esperaba. Yo sabía que ella disfrutaba de nuestros encuentros tanto como yo, no podría explicar cómo, pero lo sabía.

–Me enteré que fuiste a la casa de Ezequiel –dijo mi abuela de repente.

Me quedé de una pieza. Miré desesperadamente alrededor. Si mi padre se enteraba era capaz de encerrarme en un convento y hacerme monja.

–Quedáte tranquilo, no les dije nada a tus padres– dijo leyéndome el pensamiento.

–¿Y vos co..cómo te..te enteraste? –tartamudeé.

–Lo leí en el diario –y se rió.

Yo no pude ni siquiera esbozar una media sonrisa, estaba esperando que la tierra se abriera y me tragara.

–Me lo contó Ezequiel, por supuesto.

–¿Ezequiel?

Eso realmente no entraba en mi cabeza. No me lo imaginaba llamando a la abuela para contarle que yo lo había ido a ver. No lo podía creer.

–Sí claro, Ezequiel. Tu hermano. ¿Sabés quién es, no?

Otra vez silencio. Otra vez angustia. Todo parecía indicar que la angustia no me abandonaría.

Desde mi visita a su casa trataba de olvidarlo, de que todo volviera a ser como antes, de que mi hermano volviera a ser una referencia lejana, alejada de nuestra vida cotidiana. Ese nombre apenas susurrado por mis padres. Y esa presencia ineludible en las reuniones familiares, en las que mis padres se empeñaban en mostrar que nada era anormal, pero no podían evitar que se notara su incomodidad.

–Yo lo veo seguido, al menos una vez por semana. Y ante mi cara de sorpresa prosiguió:

–No, no te sorprendas. Es mi nieto. Que se haya ido de la casa de tus padres no cambia las cosas. Es más, a mí me parece una cosa totalmente natural, no puedo entender por qué hacen tanto escándalo. Si vos te pelearas con tus padres, yo te seguiría queriendo igual, es algo totalmente lógico. Es hasta tonto tener que explicarlo. ¿Lo vas a seguir visitando?

–No... no creo.

–Es un pena, me puse tan contenta cuando me enteré de tu visita... Ezequiel también, claro. Aunque sé que terminó de una manera un poco, cómo decirlo, abrupta. Fue un buen gesto de tu parte ir. Yo pensé que todo iba a ser como antes, después de todo él te enseñó a caminar y me acuerdo de que vos sólo te dormías si Ezequiel te cantaba una canción...

–Basta con eso, por favor –no grité pero mi voz salió de una manera rara, tal vez fue por la angustia de todos esos días o no sé por qué, pero mi voz sonó distinta, como si fuera otro.

Pude ver la cara de sorpresa de mi abuela. Eso me armó de valor para continuar.

–Basta con eso, por favor –esta vez con mi voz normal–, la semana que viene cumplo once años y todo lo que me podés decir de Ezequiel es que me enseñó a caminar y que me cantaba una canción cuando yo tenía tres años. Una canción que ni siquiera sé cual es. Lo único que tenemos en común los dos son nuestros padres, después nada más, abuela. Nada más. Nos separa un abismo.

–Tal vez lo bueno de los abismos sea –concluyó la abuela– que se pueden hacer puentes para cruzarlos.

XIII

Después de que se fue la abuela, me quedé dando vueltas y vueltas en mi cuarto. No sabía qué hacer, pero sí sabía lo que no quería hacer: pensar.

En mi cabeza se agolpaban Ezequiel y mi padre; puentes y abismos, y a pesar de no haber sido mencionado en nuestra charla, el SIDA y el ave de rapiña.

En la televisión daban El Mundo de Disney. Nada lograba deprimirme más. Esos brillos, fuegos artificiales y sonrisas de la presentación me producían dolor de estomago.

Busqué, entonces, un libro; todos los que me interesaban ya los había leído, algunos

releído. Los que quedaban eran esos libros, típicos rega-
los de cumpleaños, que el abuelo de alguien leyó a los
ocho años y le gustó, entonces a los ocho años del
padre de ese alguien le regalan también ese mismo libro,
y obviamente el pobre alguien a los ocho recibe también ese mismo libro acompañado de una frase de este
estilo: "Seguramente lo disfrutarás mucho, pequeño alguien, tu abuelo y yo, (o tu padre y yo depende), lo
hemos disfrutado mucho también". A nadie le importa
que hayan pasado al menos 50 años y que no todos los
libros resistan el paso del tiempo.

De esa lógica, a regalarlo en el primer cumpleaños,
hay un paso muy corto que se da habitualmente.

Decidí ir a comprarme un libro a la librería del
Shopping. No lo sabía en esos años y no estoy seguro
de estar en lo cierto ahora, pero sospecho que uno se
hace lector para completar lo inacabado. Para comple-
tarse.

Y así conforme van pasando los años van cam-
biando los gustos y nos parece mentira que hayamos
disfrutado ciertos textos, que después creemos exe-
crables.

Seguramente no pensaba en esto cuando caminaba por San Isidro para ir a buscar un libro que me
liberase de la angustia.

Sí recuerdo mi desazón cuando llegué a la librería,
pregunté por Clara y me contestaron que tenía franco.
Habitualmente las embarazadas nos inspiran dulzura,
la embarazada que me informó que Clara no estaba y
agregó con su mejor sonrisa Mac Donald's: "¿Te ayudo

en algo, tesoro?", me inspiró repugnancia. Supongo, a la luz de los años, que la buena mujer tal vez no era tan desagradable, pero yo a Clara le debía el haberme hecho lector. Ella siempre me había recomendado buenos libros y sabía cuáles darme según mi ánimo.

Gracias a ella descubrí autores que mis amigos, aun los más lectores, ni siquiera rozaron.

Creo que ella fue mi primer amor. Yo suponía que esos libros eran sólo para mí, que no tendría otros clientes a quienes recomendárselos. Tal vez no fue tan bueno que yo me hiciera lector a su imagen y semejanza, y que ella me ahorrase los dolores de cabeza. Nunca lo sentí así. Siempre creí que tenía una especial percepción para saber lo que yo iba a disfrutar, y estoy seguro de que ella disfrutaba recomendándome.

Ese domingo en que ella no estaba, no encontraba qué leer. Tal vez por mi estado de ánimo, tal vez por mi dependencia.

Revisaba todos los estantes aún los de los chicos más pequeños. Me entretuve buscando a Wally, o algo parecido, a pesar de que nunca me gustaron esos libros. Y de repente me encontré con una pila de María Elena Walsh.

Los abrí, los hojeé. En uno de ellos, no recuerdo en cuál, me encontré leyendo o cantando o no sé: "Mírenme soy feliz/ entre las hojas que caen/ cuando atraviesa el jardín/el viento en monopatín". La canción del jardinero. La canción con la que me acunaba Ezequiel.

Sentía su voz en mi cabeza. "Yo no soy un bailarín/ pero me gusta quedarme/ quieto en la tierra y sentir/ que mis pies tienen raíz". Ezequiel.

Y otra vez la sombra del ave de rapiña, cada vez más cerca.

Creo que me mareé, o no sé bien que pasó. Lo que recuerdo es la pila de los libros en el piso. Toda la obra de María Elena Walsh tirada. La cara de espanto de la embarazada y yo corriendo como alma que lleva el diablo. Supongo que todos pensaron que me había robado algo.

Sé que no paré de correr hasta el río. Lloraba. No me podía sacar de la cabeza la cara de la gorda, el ave de rapiña, los libros en el piso.

Y la voz de Ezequiel cantando: "Aprendí que una nuez/ es arrugada y viejita/ pero que puede ofrecer/ mucha mucha mucha miel".

XIV

Mirando a lo lejos parece que el río y el horizonte fuesen uno. No faltaba mucho para que acabara la tarde. El gris plomizo de las nubes se fundía en el marrón claro del agua.

Todo estaba en calma.

Ni el agua se movía en la orilla, donde el río se hace barro.

Algunos años atrás, cuando las aguas no estaban tan contaminadas, a esta hora las familias se demoraban en irse luego del pic–nic del domingo.

Es increíble como cambia todo.

La última vez era tan distinto; el río , los árboles, las piedras.

Me senté en una piedra a un par de metros del agua. Desde ahí con la vista en el río parece que no hubiera nada más en el mundo, sólo la extensión marrón interminable y yo.

Hay muchos que piensan que nuestro destino ya está escrito, que ninguna de nuestras acciones es fruto del azar, que nada de lo que hagamos puede modificar nada. Me cuesta creerlo.

Me cuesta creer que toda esta confusión es sólo producto del destino.

Me gustaría que mi todo volviera a estar en orden, tranquilo como hoy está el río.

No sentirme tironeado por obligaciones y deberes que no sé si son correctos.

Pero ¿qué es lo correcto? Indudablemente obedecer a mis padres. Ellos hacen lo mejor por mí.

Aunque también habrán hecho lo mejor por Ezequiel, y ahora no están conformes con él.

Ezequiel.

¿Por qué sentirme obligado a verlo? Siempre fue una referencia lejana, nunca estuvo presente en mi vida, al menos la de los últimos años.

El viento se levanta con fuerza, el río, antes quieto, ahora se agita y me moja los pies. Vuelan hojas y ramas. Tengo que irme antes que llueva si no quiero empaparme.

Tal vez así sea mi destino. Calmas y tormentas.

XV

Toda esa semana, la anterior a mi cumpleaños, estuve ocupado con los preparativos de la fiesta. Mariano me ayudó. Chequeó los invitados, nos acompañó a mi madre y a mí a hacer las compras, se ofreció para ayudarnos a acomodar cuando se fueran todos, etc.

Su compañía en todo momento me alivió mucho, estaba con él en el colegio, en el club, y en mi casa en mis ratos libres. Durante esa semana, entre la ansiedad del cumpleaños y Mariano, logré sacarme de la cabeza a Ezequiel.

Llegó el sábado y con él la fiesta. Todo en orden.

–Hay comida como para un regimiento –dijo mi abuela al entrar en casa antes del mediodía.

Ella siempre llegaba temprano a mis cumpleaños, se quedaba a dormir y se volvía al campo temprano, la mañana siguiente.

La comida consistía en sándwiches de miga, salchichitas, empanadas, calentitos, chips, dips; todo hecho por mi madre al igual que una enorme torta de chocolate, rellena con dulce de leche, crema y merengue, decorada con frutillas.

El regimiento, que no era tal sino mis cuarenta invitados de todos los años, entre compañeros del colegio y del club, además de los parientes de rigor, arrasó con todo.

Antes de la fiesta mi madre, al igual que en todas las reuniones anteriores que yo había hecho, se deshizo en pedidos de cuidados fundamentalmente por sus plantas. Ella quería que uno a uno, cuando llegaran les pidiera que tuvieran especial atención en no pisar ninguna planta ni romperle las ramas al rosal, "se pueden lastimar con las espinas", trataba de convencerme y de convencerse por su repentino interés por la salud de mis amigos.

Obviamente que no hice ninguna indicación a nadie, el noventa por ciento de los invitados vivían en casas con jardines y tenían madres. Sabían que un pétalo caído es sinónimo de desmayo maternal.

La fiesta transcurrió sin ningún inconveniente, el parque resultó ileso, salvo que al gordo Fernando, un compañero de rugby, se le cayó un vaso de coca–cola sobre el parquet, lo que es sólo sinónimo de suspiro profundo.

Cuando se estaban yendo los primeros invitados llegó Ezequiel, que nunca había venido a ninguno de mis cumpleaños anteriores, y caminó despacio entre las miradas de asombro de los parientes y las de curiosidad de mis amigos. Sólo la abuela lo miraba divertida.

−Te… te perdiste la torta −le dije

−No importa. Feliz cumpleaños −me dijo−. Tomá, es para vos.

Y me dio un paquete, lo abrí. Era un compact disc. De Dire Straits, "Brothers in arms".

−¿Hermanos en armas? −pregunté.

Me miró de arriba abajo y sonrió.

−No, Hermanos abrazados.

XVI

Cuando sólo quedaban los mayores y Mariano, puse el compact. Yo no sabía quiénes eran los Dire Straits, nunca los había escuchado, Mariano sí. Mientras charlábamos de otros temas que tenían y esas cosas, se acercó mi padre.

–Música moderna, je, je –dijo, para luego agregar–: ¿Qué buen regalo, no?

Mi padre no escuchaba jamás música cuyo compositor no hubiera muerto hacía por lo menos cien años.

En casa no había rastros de otro tipo de música, ni jazz, ni tango, nada.

–A mí, creo que me gusta –le respondí.

—A mí también —agregó Mariano apoyándome.

—Ya se les va a pasar —afirmó mi padre dando por terminada la conversación.

No sé, no recuerdo qué otras cosas me regalaron aquel año, sólo recuerdo el compact. No creo que eso sea importante. La memoria suele tender muchas trampas. Lo que sí es seguro es que mi padre no quería que yo me acercara a Ezequiel.

Su nombre había sido tantas veces susurrado, tantas otras callado, que se había convertido en un enigma, en un misterio. Eso siempre es atrayente.

El misterio. Desde los orígenes de nuestra cultura nos alimentamos del misterio, las religiones de Occidente se basan en él. Están llenas de misterio, de cosas que son inaccesibles a la razón y deben ser objetos de fe.

En un libro que leí a los diecisiete, pero que me hubiese gustado leer a los doce, dice algo así como que el hombre necesita del misterio como del pan y el aire, necesita de las casas embrujadas, de las personas innombrables, de las calles sin retorno que hay que esquivar.

El misterio.

Ezequiel se acercó.

—¿Seguís siendo hincha de Racing?

—Sí.

—Te invito a la cancha el próximo domingo.

* * *

Pasé todo el resto del domingo escuchando Dire Straits, pensando si ir o no a la cancha. Me moría de ganas, pero ir significaba asumir de una vez por todas que éramos hermanos para bien o para mal. Significaba que tal vez la confusión volvería. Mi abuela, antes de irse, me había dicho que tenía que ir, que la pasaría bien, que mi padre no pondría reparos. Yo no estaba tan seguro.

El lunes en el colegio Mariano estuvo toda la mañana repasando la fiesta como si hubiese sido la suya, tal vez él la sentía así. Estábamos tanto tiempo juntos desde tantos años atrás que algunos nos decían los mellizos. Y ante los demás mi cumpleaños era tan importante como el suyo.

Mariano trató por todos los medios de convencerme para ir conmigo a la cancha, pero afortunadamente no lo logró.

A la tarde, en casa, mi padre me llamó para jugar al ajedrez. Esta vez logré hacerle un poco más de fuerza y la partida fue más larga.

Al terminar llegó lo que yo estaba esperando.

—Me enteré de que tu hermano te invitó a ver un partido de fútbol —me dijo .

—Si, papá —contesté con mi habitual facilidad de palabra.

—Y vos querés ir —prosiguió.

—Me gustaría mucho.

—Vos sos un chico inteligente, no se te escapará que a esos lugares va cualquier clase de gente —e hizo una especial entonación en las palabras "cualquier clase"—. Que además suele haber peleas y mucha violencia.

–Pero, el domingo Racing juega con Platense, no va a pasar nada.

–Noto que ahora sos un especialista en fútbol, yo creí que tanto no te interesaba.

Bajé la vista. No sabía qué responder, nuestras discusiones siempre terminaban así, yo hacía silencio y bajaba la vista, mi padre no volvía a hablar, luego de unos instantes se levantaba y daba por acabada la cuestión, siempre a favor suyo.

Pasó un rato más y en el momento que se paró me armé de valor y le dije:

–Pero me va a llevar Ezequiel, él me va a cuidar, no va a dejar que me pase nada.

–Ezequiel...

Y fue él esta vez que hizo silencio y bajó la vista.

–Vos sabés muy bien –dijo luego de un instante– que nosotros no estamos muy de acuerdo con algunos aspectos de la vida de tu hermano, que estamos... cómo decirlo, un poco distanciados. Así y todo querés que te deje ir a ver un partido de fútbol con él.

–Si papá, por favor. –Y mis ojos se llenaron de lágrimas.

Me miró un buen rato y dijo:

–Está bien, te dejo ir. Pero no pienses que esto termina acá, después del domingo vamos a tener un larga charla nosotros dos.

Se levantó, empezó a caminar para irse, se dio vuelta y me dijo:

–No te olvides de esto; los hombres son como los vinos, en algunos la juventud es una virtud, pero en otros es un pecado.

XVII

Ese domingo mi padre me llevó en auto hasta Palermo, donde nos encontramos con Ezequiel.

No dijo ni una palabra en todo el viaje, pero se deshizo en advertencias cuando llegamos y ofreció darle plata a Ezequiel para pagarme la entrada.

Una vez que logramos despegarnos de mi padre, que me miraba como si estuviera a punto de cruzar el océano en bote a remos y sin salvavidas, nos tomamos un colectivo, el 93, hasta Avellaneda.

Yo no sabía de qué podría hablar con mi hermano, nunca desde que tuve memoria había estado tanto tiempo a solas con él. La conversación fluyó naturalmente, hablamos del colegio, de San Isidro y, fundamentalmente, de la abuela y del campo. Ezequiel sabía cómo manejar la conversación encaminándola naturalmente hacia los temas en los que yo me sentía cómodo y evitar los que a mí me molestaba tratar.

Cuando nos bajamos del colectivo y empezamos a caminar al estadio, me temblaban las rodillas de la emoción. Cantidad de personas con banderas, gorros y camisetas, iban en nuestra misma dirección.

Una vez adentro, superado el impacto de encontrarme de frente con esa mole de cemento, me impresionó la salida de los equipos con todo lo que trae consigo; los colores de las camisetas, las medias y los pantalones sobre el verde del césped; los papeles por el aire; los petardos; y fundamentalmente, el canto de miles y miles de personas, increíblemente afinado.

En un momento cerré los ojos para poder sentirlo todo sólo con el cuerpo, sin la mirada que siempre influye en las sensaciones. Los gritos y el cemento vibrando bajo mis pies.

No sé cuanto tiempo estuve así. Cuando los abrí los tenía llenos de lágrimas. Mire a Ezequiel y le dije:

–Gracias. Es fantástico.

Y él me abrazó. Qué bien se sentía. Era la primera vez, que yo recuerde, que nos abrazábamos.

Empezó el partido, que era por lo que en definitiva estábamos ahí.

Fue lamentable.

Parecía que la pelota quemaba, cada jugador al que se le acercaba la pateaba lo más lejos posible, nadie nunca la puso contra el piso y levantó la cabeza buscando a un compañero. Todo el tiempo la pelota lejos y arriba. Un espanto.

Terminó 0 a 0.

Nos alejamos del estadio caminando despacio por calles angostas. El sol se ocultaba.

Yo estaba feliz. A pesar del partido, la tarde había sido maravillosa. Íbamos afónicos y sudorosos.

—Si Racing sigue jugando así, me voy a morir sin verlo salir campeón —dijo Ezequiel.

La muerte. Otra vez el ave de rapiña volando en círculos. La tarde se deshizo en pedazos. Me pareció que los papelitos que habían saludado la salida de los equipos eran negros. Y que los gritos de las hinchadas habían sido cantos fúnebres.

La muerte.

Ezequiel me revolvió el pelo con su mano. Debe haber visto mi expresión y se rió a carcajadas.

—No tenés que ser tan literal. Si Racing sigue jugando así, vos también te vas a morir sin verlo salir campeón.

Entonces nos reímos juntos.

* * *

Ezequiel me acompañó hasta la puerta de casa y no quiso pasar, argumentó que tenía que levantarse temprano al día siguiente. En ese momento, me di cuenta de que yo no sabía nada de su vida, qué hacía, de qué vivía, si trabajaba o no. Mentalmente me lo agendé para la próxima vez.

Quería que me contara de él.

Cuando entré me recibieron como si efectivamente hubiese cruzado el océano en bote a remos. Mi madre me preguntó si me había pasado algo, si estaba bien y si tenía hambre. No, si y no fueron mis respuestas respectivas. Mi padre no me preguntó nada. Esperó que me bañara y luego me invitó a "dialogar".

No podría transcribir aquí ese "diálogo", que no fue tal, sino un monólogo largo, que yo sólo interrumpí con suplicas y sollozos.

Lo que dijo mi padre ese domingo, que hasta ese momento para mí había sido mágico fue más o menos lo siguiente. Primero: No dejaba de sorprenderlo mi repentino interés por el fútbol, eso demostraba que él me había descuidado, cosa que no volvería a pasar. Pero bueno, él me había inculcado el amor por los deportes y no se opondría a mi pasión, desde ese momento iríamos juntos a la cancha cada vez que yo quisiera, obviamente a platea, que es donde va la gente decente y no a la tribuna popular, como habíamos ido Ezequiel y yo, que es a donde van los vándalos.

Segundo: Mi relación con Ezequiel. Dado que yo nunca había manifestado interés en relacionarme con mi hermano, mi padre sostuvo que era mejor continuar así. Como regalo de cumpleaños era bastante simpático "un compact–disc de música moderna y un viaje en colectivo hasta Avellaneda para ver fútbol", pero que nuestra relación terminaba allí. Que no era "sano" para un niño de 11 años andar por ahí con un adulto de 24, por más que éste fuera su hermano.

Tercero: Él entendía que yo estaba por ingresar a la pubertad, que mi cuerpo estaba empezando a cambiar, y tal vez tenía alguna duda o pregunta que hacer. Si era por eso, tenía que confiar en él, después de todo era mi padre, me había dado la vida, me había educado.

Yo tenía que confiar en él.

Y cuarto: En cuanto a Ezequiel, me prohibía volver a verlo fuera del ámbito familiar. Todo esto por supuesto "era por mi propio bien" y "más adelante se lo agradecería".

Mi padre como siempre dio por terminada nuestra conversación levantándose y yéndose.

Yo me quedé sentado en su despacho llorando en silencio un largo rato.

Cuando salí, todos se habían acostado. Eran miles las cosas que no podía entender, lo único que sentía era que había algo que no encajaba con el mundo.

Y que ese algo era yo.

XVIII

No volví a ver a Ezequiel por meses. Durante ese lapso su figura crecía dentro de mí, rodeada de un halo de misterio. Misterio que me apasionaba develar. Nunca supe si la atracción que ejercía sobre mí correspondía al hecho de haber disfrutado su compañía, o a que mi padre me hubiese prohibido verle.

Lo seguro es, que durante esos meses, no pude tolerar a mi padre.

Nuestra vida circulaba por los caminos habituales, jugábamos al ajedrez, escuchábamos música clásica, es decir, lo de siempre, pero yo no podía soportar la sola idea de permanecer en una habitación a solas con él.

No lo odiaba, pero era un sentimiento sumamente confuso. Supongo que hay un momento de la vida en que nuestros padres se nos revelan tal cual son. Sin secretos. Yo no podía entender su actitud con Ezequiel, me parecía terriblemente injusto, pero jamás tuve el valor para preguntarle nada.

Hoy, tantos años después, creo que si le hubiese manifestado lo que me pasaba, la situación hubiera sido distinta. Pero yo tenía 11 años, él era el adulto, a él le correspondía dar ese paso. El paso que hay de la autoridad a la confianza.

XIX

Estuve angustiado, sin saber con quién hablar, ni qué hacer. Una tarde vi a mi madre en el jardín y me acerqué. Cortaba hierbas.

—¿Te ayudo? —le dije.

—Si, claro —contestó, alcanzándome unas tijeras—, cortá el tomillo.

Nos quedamos un rato en silencio, envueltos en el perfume de las hierbas. Hasta que le pregunté.

—¿Por qué nunca hablamos de Ezequiel?

Apoyó las cosas en el piso con mucha calma. Estiró su mano como para acariciarme. Me miró. Bajó la mano. Luego la vista y dijo en un susurro.

—Hay cosas de las que es mejor no hablar.

XX

Un domingo de diciembre antes de las fiestas, Ezequiel vino sorpresivamente, al menos para mí, a almorzar a casa.

Lo recuerdo bien. Ese mismo domingo a la tarde Mariano iba a venir a despedirse antes de las vacaciones. Su familia tiene una casa en Punta del Este y todos los años viajan antes de la Navidad y pasan allí todo el verano.

En algunos veranos anteriores nosotros pasábamos todo enero con ellos en Punta del Este, este año sería distinto, mi padre había decidido pasar las vacaciones con la abuela.

–Tengo muchas cosas que hacer en Buenos Aires –dijo–, no puedo darme el lujo de irme tan lejos. Desde el campo puedo viajar y volver en el día y no descuidar los negocios. Así que, familia, este año nada de mar.

No sé qué opinaba mi madre al respecto, yo estaba feliz con la posibilidad de pasar todo el verano en el campo con la abuela.

Así estaban las cosas ese domingo cuando abrí la puerta y me encontré con la figura de Ezequiel. Nos dimos un abrazo largo, profundo.

–Tenía ganas de verte –le dije en un susurro–, pero papá no me deja.

Me miró y sonrió.

–Después de comer hablamos. –Y entró a casa con un paso seguro.

Yo lo interpreté como una señal de desinterés. No sé qué estaba esperando que hiciera, tal vez que me rescatara de esa casa donde me sentía profundamente infeliz. Después, pensándolo bien, me sentí como un imbécil por eso.

El almuerzo transcurrió lentamente, casi sin hablar, o hablando sólo de las vacaciones y de las fiestas. Ezequiel contó que quería pasar fin de año con nosotros en el campo, pensaba irse de vacaciones en febrero, con unos amigos, a Villa Gesell. Sé muy bien que la mesa familiar no es el ámbito más indicado para hablar ciertos temas, pero mi familia me parecía tremendamente hipócrita. Nunca se mencionaba a Ezequiel y cuando se lo hacía, lo he dicho, la mención de su nombre producía chispas. Algunos meses atrás mi madre lloraba por él, mi padre estaba indignado. Y lo peor de todo, al me-

nos para mí, era que me habían prohibido terminante-
mente verlo.

Y ahí estábamos los cuatro charlando de banali-
dades. De las fiestas y de las vacaciones.

* * *

—No te creí tan falso —le dije con sorpresa para él y
para mí, un rato después del café, cuando nos encontrá-
bamos sentados bajo los pinos en el parque de casa.

—No te entiendo, ¿por qué lo decís?

—Por todo eso —dije señalando la casa—. Deliciosa
la comida, mamá. Pasemos las fiestas juntos, papá —le
contesté, parodiando su voz.

—Creo que estás confundido —hizo un largo silencio y prosiguió—. La comida de mamá siempre es deliciosa. Y sí, quiero pasar las fiestas con ustedes —y se rió.
Se rió muy fuerte, a mí me indignó.

—Pero a mí no me dejan verte, nunca te nombran
y si lo hacen no es para nada bueno. ¿Me vas a decir
que no te das cuenta de eso?

—Sí, claro que lo sé, no me subestimes. Pero eso no
significa que yo no los quiera ni que ellos no me quie-
ran a mí. Eso no significa que yo no disfrute de su compañía, claro que no todos los días, pero me agrada ver-
los de vez en cuando. Son mis padres, viví con ellos
dieciocho años después de todo ¿no? Entiendo lo que
vos querés decir, pero me gustaría que vos me enten-
dieras a mí.

Hizo una pausa y suspiró.

–Mirá, yo no puedo vivir con ellos. Ya no. Pero mientras viví con ellos, salvo los últimos tiempos, estuvo bien. Tal vez esto sea un poco confuso para vos, pero es así.

Y me contó que él entendía los miedos de nuestros padres, y también de cuando vivía en casa, y secretos de familia, y mucho más.

Yo estaba como en trance, fascinado por descubrir a otra persona, a Ezequiel, mi hermano. Sé que todo esto puede sonar extraño, pero era exactamente eso, un descubrimiento. Con el agregado de que hablábamos de cosas relacionadas con mi familia, que yo ni siquiera me animaba a pensar. Repasándolo, a la luz de los años, como lo he hecho tantas veces desde que Ezequiel murió, cada momento desde que fui a su casa a pedirle explicaciones hasta la última vez que lo vi, me doy cuenta de que muchas de las cosas de las que hablamos eran tan simples, que tal vez no merecieran mayores comentarios. Pero para mí eran algo así como la verdad revelada. Como pensar el mundo por primera vez. Así lo viví yo. Así lo vivía esa tarde de diciembre hasta que llegó Mariano .

* * *

Era el primer verano de nuestras vidas que no pasaríamos juntos. No sabíamos que el del año anterior había sido el último.

Supongo que una mezcla de la felicidad que tenía después de la tarde con Ezequiel y la excitación de

Mariano ante la proximidad de sus vacaciones generaron una química extraña.

Pusimos el compact–disc de Dire Straits y nos sentamos en el piso de mi cuarto apoyados en la cama. Pasamos toda la tarde charlando, con una intimidad que nunca habíamos tenido.

El me contó cosas de su familia, de su hermana. Yo le conté cosas de la mía y algunas de las cosas de las que hablamos con Ezequiel. Y también nos reímos, nos reímos mucho, nunca la había pasado tan bien con él.

Atardeció, el reflejo anaranjado del sol bañaba la habitación, el equipo de audio ya estaba apagado. Estuvimos un rato en silencio, y Mariano me contó que estaba enamorado de María Eugenia, una compañera nuestra desde el jardín de infantes, algo que jamás hubiera sospechado, ni que estuviera enamorado de María Eugenia, ni de nadie.

Mariano estaba eufórico porque ella también viajaba a Punta del Este y él pensaba declarársele. Supongo que fue el resultado de todo, la charla con Ezequiel, la confesión de Mariano, lo que me animó a contárselo a pesar de haberme jurado no decírselo a nadie.

—Ya sé por que están enojados con Ezequiel.

Mariano me dedicó una mirada invitando a seguir.

—Porque tiene SIDA.

Se quedó en silencio, no preguntó nada. Yo lo imité.

—Supongo que no lo vas a ver más —dijo al rato, como en un susurro.

–Claro que lo voy a seguir viendo. Es mi hermano.

Su cara se transfiguró, se puso roja.

–No seas ridículo. Nunca fue tu hermano, durante años no te importó. No lo veas más, ¿no te das cuenta de que te podés contagiar?

–Vos sos el ridículo, es imposible que me contagie.

Mariano me miró indignado. –Es tarde –dijo, y se fue.

La magia se había perdido. Nunca más volvió a mi casa.

XXI

Un par de días antes de Navidad nos fuimos al campo.

Pasamos Nochebuena solos con la abuela. Para fin de año llegaron algunos de mis tíos y Ezequiel.

Yo estaba feliz, al haber tanta gente era mucho más fácil poder pasar el tiempo charlando con Ezequiel. Ya no tenía dudas, me sentía bien con él. Disfrutaba de su compañía.

Esos cuatro días caminamos por el campo, cabalgamos, hablamos sentados a la sombra de un sauce llorón.

Una de esas tardes lo estaba ayudando a preparar café, cuando se rompió una taza que le cortó la mano. Me quedé inmóvil y Ezequiel también. Miraba la sangre y la taza, y en ese momento pensé en Mariano y si tendría razón. Creo que Ezequiel percibió mi miedo, pero nunca me hizo ningún comentario al respecto.

Ese fin de año fue la primera vez que me dejaron tomar alcohol, una copa de champagne en el brindis de las doce.

Recuerdo esos días con sumo placer.

Cuando se fue Ezequiel y nos quedamos solos mis padres, la abuela y yo, ya había tomado la determinación de hacer algo para verlo más, no sabía qué, ni cómo. Lo que sí sabía es que fuera lo que fuera que me acercaba a Ezequiel, el misterio, la curiosidad o lo que fuera, era un vínculo auténtico, verdadero.

Y tenía que encontrar la forma de que no se rompiera.

XXII

Pasó todo el verano sin que se me ocurriera nada.

En marzo tendría la respuesta.

Nosotros volvimos del campo una semana antes de las clases, lo primero que hice al llegar fue llamar a Mariano. Quería que me contara cómo le había ido en sus vacaciones y con María Eugenia. Llamé varias veces a su casa y nunca pude dar con él, tampoco contestó a mis llamados. Eso me extrañó muchísimo. Habitualmente, después del colegio, nos hablábamos por teléfono, rara vez no lo hacíamos. Y esa vez que hacía tres meses que no nos veíamos, no me contestaba.

No encontraba explicación, pero esa semana mi madre me pidió que la ayudara con la casa, y con el jardín, su obsesión, que después de tanta ausencia suya estaba bastante deteriorado, y creí que a Mariano podía sucederle algo similar.

Esperaba el primer día de clases con ansia, eran tantas las cosas que tenía para contarle.

Llegué muy temprano al colegio y me quedé en la puerta esperándolo. Lo vi llegar, desde lejos, de la mano de María Eugenia, y me alegré por él. Cuando llegó a mi lado me saludó con un "hola" frío e impersonal. Pasó caminando casi sin mirarme y fue a buscar un lugar al lado de María Eugenia.

Todos mis compañeros estaban extrañados, nos habíamos sentado juntos todos los años anteriores y ahora yo me sentaba solo, a tres bancos de distancia. Me evitó en todos los recreos. Yo no salía de mi asombro. Hasta que me di cuenta de que me estaba haciendo pagar "mi culpa".

Yo era el hermano del sidoso.

* * *

Al volver a mi casa me encerré en mi cuarto a llorar toda la tarde. Esa iba a ser la primera de las muchas muestras de intolerancia que recibiría durante lo que le quedaba de vida a Ezequiel.

No podía entender la actitud de Mariano, y no tenía el valor de ir a pedirle explicaciones. En los entrenamientos y en educación física, evitaba tocarme. El hecho de pensar que lo vería ignorarme durante todo el año escolar, los entrenamientos de rugby y el colegio secundario (en el colegio que habían estudiado nuestras familias desde el jardín de infantes hasta el secundario, nuestros padres formaban parte de la asociación de ex–alumnos) me partía el alma.

Mariano había sido mi único amigo desde que tenía memoria, había sido mi confidente y yo el suyo. Que ahora me diera la espalda era algo que no podía comprender. Me sentía solo.

Definitivamente solo.

Las primeras semanas de clase se me hicieron eternas, el hecho de pensar en estar sentado solo, y pasar los recreos sin Mariano me angustiaba profundamente. En mi casa me preguntaban qué pasaba con Mariano que ya no venía como antes, y yo lo explicaba gracias a su relación con María Eugenia.

A principios de abril logré sobreponerme a la situación y armarme una coraza para que pareciera que no me importara. Los demás chicos de la clase nos habían preguntado que había pasado entre nosotros, y los dos, cada uno por su lado contestamos lo mismo, que nos habíamos peleado. Debo reconocer que en ese momento, a pesar de que sabía cómo había impactado en él la enfermedad de Ezequiel, a tal punto de terminar nuestra relación, valoré ese pequeño gesto, que entendí como un homenaje a lo que había sido nuestra amistad, no revelar los verdaderos motivos de la distancia.

Con el tiempo comprendí que no me hacía ningún favor, que no debía agradecerle nada, que la enfermedad de Ezequiel no era algo vergonzante. Pero a esa edad y con el sentimiento de soledad que experimentaba, no lo hubiese resistido.

* * *

Gracias a eso tomé la mejor decisión, la más adulta que he tomado en mi vida. Cambiarme de colegio.

Decidí ir al Nacional Buenos Aires, el único colegio lo suficientemente prestigioso, además del que iba, que mi familia toleraría.

Convencer a mi padre me costó mucho, pero su padre había egresado de allí, con medalla de oro, y parte del prestigio familiar había pasado por sus aulas. Después de semanas de súplicas y argumentaciones, logré convencerlo; y nos pusimos a buscar el mejor instituto para preparar mi examen de ingreso.

Mi padre me advirtió que el ingreso era serio, que era mucho lo que había en juego, mucho lo que estudiar, que tendría que dejar rugby (que era una de las cosas que yo quería, un lugar donde evitar a Mariano) y que no toleraría "bajo ningún concepto" mi fracaso.

Encontramos el instituto, el mejor, el más caro, (para mi padre esos dos conceptos son sinónimos), y me inscribí.

El instituto quedaba a cinco minutos de viaje de la casa de Ezequiel.

XXIII

Cuando murió Ezequiel descubrí que la tristeza me quedaba bien. Que tal vez era mi estado natural.

Comencé a usar ropa negra, a leer poetas malditos. Todos los días me recitaba un poema de Rimbaud que dice: "Hay, en fin cuando uno tiene hambre y sed, alguien que os expulsa".

Mis compañeros de curso también tenían, por momentos, un aire triste o melancólico. Quizás la adolescencia sea en sí una etapa triste. El dolor de dejar atrás la niñez para convertirse en algo que ya somos (hombres, mujeres) sólo virtualmente. Realmente, no lo sé.

Lo que sé es que la tristeza de ellos iba y venía; la mía parecía estar cosida a mis pies. Como una carga de siglos sobre mi espalda.

En las reuniones ellos reían y se divertían, yo en cambio me quedaba parado en un rincón, con un aire perdido, como si no supiera divertirme. Como si no supiera cómo pasarla bien.

La tristeza.

XXIV

En mayo comenzó la preparación en el instituto. Asistía lunes, miércoles y viernes por la tarde; dejé definitivamente rugby, y empecé a viajar solo y a disponer de más tiempo para mí.

Mis padres, en especial mi padre, se deshicieron en recomendaciones. Si bien ya soñaban con mi egreso triunfal del Nacional Buenos Aires, y yo aún no había ingresado, por otro lado no les gustaba nada esa libertad que tendría, ni la posibilidad de que anduviera por la calle. Al principio querían ir a buscarme a la salida, pero mi madre estaba haciendo uno de sus innumerables cursos, aquel era de pintura sobre madera, y para mi padre representaba perder alrededor de dos horas (sagradas) de su trabajo. Cuando se dieron cuenta que no había otro remedio, accedieron a dejarme viajar solo.

Lo que yo quería era alejarme lo más posible de San Isidro, evitar la posibilidad de cruzarme con Mariano y que éste me ignorara.

Para mí el instituto fue un enorme descubrimiento, el primero de todos los que vendrían después. El hecho de encontrarme con tantos chicos de mi edad de distintos sectores sociales, que vivían en distintos barrios, esa cosa en definitiva tan insignificante para cualquier otro chico, me maravillaba. No teníamos mucho tiempo para charlar, las clases eran bastante exigentes, aunque a mí, ya fue dicho, me gustaba estudiar y no tuve mayores problemas, no me sobraba el tiempo para relacionarme con los demás. Igual, disfrutaba mucho sabiendo que estaba rodeado de desconocidos.

Pensándolo ahora, veo que era más mi temor al desengaño, luego de lo que había pasado con Mariano, que otra cosa. Si no trabé amistad con ninguno de los demás no fue por falta de tiempo, sino por miedo.

* * *

El veintiuno de julio, al comienzo del invierno, Ezequiel tuvo la primera crisis, de todas las que tuvo durante su enfermedad.

Enfermó de neumonía, estuvo bastante delicado, diez días de internación de los que salió con la prescripción médica de tomar AZT y sin trabajo.

Ezequiel trabajaba en un estudio de diseño gráfico desde hacía dos años. En el momento de la internación, en su trabajo se enteraron de su enfermedad y lo echaron. Argumentaron razones presupuestarias, Ezequiel no les creyó; después de la experiencia con Mariano yo tampoco.

Unos días después de la salida de la clínica de Ezequiel, vino la abuela a casa a charlar con mi padre. La abuela quería que papá se llevara a Ezequiel a trabajar a su oficina. Mi padre sostenía que no era necesario que Ezequiel trabajara, que podría venir a vivir a casa como antes y sin rencores; y por otra parte sostenía que era lógico que se quedara sin trabajo, que él como empleador tampoco tomaría riesgos si un empleado suyo tuviera SIDA, hay que pensar en los demás, decía.

XXV

Cuando empezó a tomar AZT, Ezequiel se vio obligado a llevar una dieta sana y a realizar ejercicios, para contrarrestar los efectos de la droga.

Todos los días salía con Sacha a realizar largas caminatas, y esas caminatas lo llevaban lunes, miércoles y viernes, a la puerta del instituto donde yo estudiaba.

La primera vez que lo vi parado en la puerta esperándome, me temblaron las rodillas, a mí no se me había permitido ir a verle a la clínica, es más, hacía más de tres meses que no nos veíamos, si bien yo estaba enterado de todo lo que pasaba, había desarrollado un sexto sentido para escuchar a mis padres cuando hablaban de él, y además la abuela, siempre la abuela, me contaba. Me sentía en falta por no haberlo visitado.

–No me dejaron ir a verte –le dije sin saludarlo siquiera.

Ezequiel sonrió, tenía una sonrisa apagada, todo él estaba apagado, no era ya la persona luminosa de antes. Estaba asustado, algo de lo que no me di cuenta hasta que fue tarde.

–Ya sé, no importa. La abuela siempre me manda saludos tuyos. ¿No te molesta que te venga a buscar?

Le contesté que no, por supuesto. Esa primera vez y las siguientes nos limitamos a caminar en silencio hasta la parada del colectivo, con Sacha correteando entre ambos.

A la segunda semana, Sacha ya saltaba para recibirme apenas ponía un pie fuera del instituto. Lo cual me hizo ganar la simpatía de muchos de mis compañeros.

Sacha nos daba tema de conversación. Yo no me animaba a preguntarle de su enfermedad, ni de su dieta, entonces le preguntaba sobre la dieta de Sacha. Ezequiel me contaba qué le daba de comer y cómo la cuidaba, de los libros que había leído para cuidarla bien. Se lo tomaba todo con absoluta seriedad, sabía muchísimas cosas de los perros del ártico, su historia, sus costumbres, y sus diferencias con los perros de origen europeo.

Hablando de ella fue que un día me dijo:

–Uno de los motivos porque quiero tanto a este perro es por sus ojos. Desde que estoy enfermo la gente me mira de distintas maneras. En los ojos de algunos veo temor, en los de otros intolerancia. En los de la abuela veo lástima. En los de papá enojo y vergüenza. En los de mamá miedo y reproche. En tus ojos curiosidad y misterio, a menos que creas que mi enfermedad no tiene nada que ver con que estemos juntos en este momento. Los únicos ojos que me miran igual, en los únicos ojos que me veo como soy, no importa si estoy sano o enfermo, es en los ojos de mi perro. En los ojos de Sacha.

XXVI

Ezequiel me pidió que yo cuidara a Sacha antes de su última internación, la definitiva. Lo llevé a casa, traté de cuidarlo tan bien como él, de llevarlo a caminar todos los días. Pero en mi casa en esos días todos estábamos muy nerviosos, Sacha también. Rompió varias de las plantas de hierbas de mamá y terminó en el campo de la abuela. Yo rogué, lloré e imploré, fue inútil. Ezequiel todavía no había muerto y a mí se me negaba cumplir con una de sus últimas voluntades.

Nos pusimos de acuerdo en que nadie se lo diría, Ezequiel nos preguntaba por Sacha cada vez que nos veía, nosotros le contestábamos que estaba bien. A pesar de tranquilizarlo a él, nadie pudo tranquilizar el daño que produjo en mi conciencia el tener que mentirle a mi hermano moribundo.

XXVII

Los paseos al salir del instituto se hacían cada día más largos, aunque yo me demorara cada vez más, en casa a nadie parecía importarle.

Después de mi viaje de fin de curso, algunas de nuestras caminatas terminaban en su casa. Yo no visitaba su departamento desde que fui a pedirle explicaciones, y esa vez no tuve demasiado tiempo para prestar atención a nada.

La primera vez que llegué allí acompañado por él, descubrí su biblioteca. Tenía libros de diseño gráfico, fotografía y de literatura. Le gustaba especialmente la ciencia ficción y el *fantasy*. Me prestó *El señor de los* *anillo*s y puso a mi disposición cualquiera de sus libros.

Me contó, al preguntarle por la cantidad de libros de fotografía que tenía, que le gustaba mucho sacar fotos.

Siguiendo con mi inspección al lado de su cama encontré un chelo.

—¿Desde cuando tocás el chelo? —le pregunté sin salir de mi asombro.

—Lo compré hace cuatro años. Estudié un año y dejé. El año pasado volví a estudiar.

¿El año pasado? Me parecía extraño, el año anterior se había enterado que tenía SIDA, y se había puesto a estudiar chelo...

Me miró y sonrió.

—Mirá, lo único cierto que sabemos todos de la vida es que nos vamos a morir. Y lo único incierto es el momento. Digamos que al enterarme que lo incierto avanza sobre lo cierto, me propuse no morirme hasta no poder tocar la Suite No. 1 en Sol mayor de Bach.

Y se rió.

* * *

Guardé *El señor de los anillos* en mi mochila, le pedí que hiciera ruido, para que en mi casa creyeran que hablaba desde un teléfono público, y llamé para decir que me había demorado en la casa de un compañero, para ponerme al día con lo que habían visto mientras estaba de viaje de fin de curso. Ezequiel se rió mucho cuando corté y aposté a que no me iban a creer, y que aunque me creyeran mis excusas no servirían de nada. Tuvo razón.

En la parada del colectivo le comenté que estaba sorprendido de que sacara fotos y tocara el chelo y yo no lo supiera.

—Uno nunca termina de conocer del todo a las personas —me dijo—, ni aún a las más cercanas, padre, madre, hermanos, hermanas, marido, mujer. Siempre hay una zona de cada uno que permanece a oscuras, alejada por completo de los demás. Una zona de pensamientos, de sentimientos, de actividades, de cualquier cosa. Pero siempre hay un lugar de nosotros en el que no dejamos que entre nadie más. Yo creo que eso es lo que hace a las relaciones con los demás tan interesantes, esa certeza que, aunque nos lo propongamos, nunca los vamos a conocer del todo.

XXVIII

Cuando llegué a casa, me recibieron con un sermón de órdago. Que quién me creía yo para ir a la casa de desconocidos sin permiso, que en qué cabeza cabe, y otras expresiones de las que caben en cualquier repertorio paternal.

Era la primera vez que me retaban y no me importaba mayormente, tal vez estaba creciendo, tal vez me estaba haciendo inmune a los retos, no sé. Lo único seguro es que estaba disfrutando a mi hermano y esta vez no pensaba dejar que me quitaran ese placer.

Estaba dispuesto a mentir, a planificar mis actividades, para verlo contra viento y marea.

Creo que esa fue la única, auténtica rebeldía que me permití en mi vida.

* * *

Me sumergí en la lectura de **El señor de los anillos**, que a pesar de tener alrededor de 500 páginas, leí en una semana. Era el primer libro largo que leía, después me prestó el tomo II y el III. Los leí con igual voracidad.

Ezequiel era un gran lector, y me recomendaba libros con gran tino.

–No importa si los entendés, o no; si te gustan dejáte llevar por las palabras, que sean como música en tus oídos –me decía.

En todos los libros que me prestaba yo trataba de encontrar sus rastros, el por qué le habían gustado. Tantas veces me desilusioné con gente que me prestaba o recomendaba libros que no me gustaban. Siempre, lo primero que busco en los libros son las huellas del otro, del que me los alcanza.

Los libros habían sido importantes en mi vida, y el poder compartirlos con él le daba un nuevo significado a nuestra relación.

* * *

Un sábado a la tarde estaba en mi cuarto leyendo **Un mago de Terramar,** uno de los tantos libros que me prestaba Ezequiel. Lo recuerdo porque estaba anotando una frase, en ese época tomé la costumbre de anotar las frases de los libros que me gustan en una libreta, una frase que decía: "Para oír, hay que callar". No sé por qué me gustó tanto. Aún hoy, que conservo la libreta, puedo leerla con mi letra temblorosa de entonces.

A pesar de que tenía la puerta cerrada mi padre entró en la habitación.

–Últimamente estás muy lector, y hace mucho que no jugamos al ajedrez –no había ningún reproche en su voz, era su forma de invitarme, yo lo sabía, él no podía de otra manera.

Bajamos la escalera hasta su estudio. Cuando estaba sacando el tablero le pregunté:

–¿Tenés la Suite No. 1 de chelo, de Bach?

Me miró de arriba abajo sorprendido.

–Yo sabía que iba a lograr que te guste la buena música –y remarcó la palabra buena. Me explicó orgulloso que tenía varias versiones, que podía elegir cuál quería escuchar y que si yo tenía ganas podía explicar, mientras las escuchábamos las diferencias entre ellas. Me propuso un montón de cosas más. Rezumaba erudición.

–Elegí la que más te guste a vos, y no digas nada – le dije. –Para oír, hay que callar.

XXIX

En noviembre Ezequiel vino a buscarme por última vez. Ya terminaba el curso del instituto, lo que significaba el fin de nuestras caminatas.

Caminábamos hablando de libros y de autores, me sentía definitivamente importante, teniendo un tema en común con él.

Clara, la librera, me había recomendado un par de libros para Ezequiel y logré sorprenderlo (una cosa más para incluir en mi lista de agradecimientos para ella).

Ezequiel me recomendó que mirara Blade Runner, yo me ufanaba de haberle regalado libros de autores que el no había leído, Sacha corría alrededor nuestro. De repente se levantó una tormenta. Era una con todas las de la ley, corrimos para guarecernos. No podíamos entrar a un bar a esperar que pasara, no nos dejarían con el perro, y nos costó bastante trabajo encontrar un techo que nos protegiera.

Cuando lo encontramos estábamos empapados.

—Me parece que ya no tiene sentido protegernos —dijo Ezequiel.

Yo estaba asombrado por lo violento de la tormenta, lo rápido que se había desatado y porque en calles que antes estaban llenas de gente, en ese momento no se veía un alma. Las ventanas de las casas estaban cerradas. Se lo comenté.

El se quedó serio un rato y luego dijo:

—El SIDA es como una tormenta, nadie quiere sacar la cabeza para ver qué hay afuera.

XXX

Ese fin de año lo pasamos en casa. Mamá había preparado el menú, desde principios de mes. Una semana antes ya estaba cocinando (evitó el pollo con hierbas). Uno de los motivos de celebración era mi ingreso al Nacional Buenos Aires.

Cuando llegó el 31 de diciembre todo parecía estar en orden, mi madre no había dejado ningún detalle librado al azar. Todo estaba planificado.

Al llegar Ezequiel, sólo con verlo, me di cuenta de que hay cosas que no se pueden prever. Había adelgazado mucho desde la última vez que estuvimos juntos, poco más que un mes atrás, su mirada no tenía brillo, se lo veía débil. Y él lo sabía.

Mis padres, como siempre, se empeñaron en hacer de cuenta que nada sucedía. Pero la verdad era tan evidente, que por primera vez les agradecí sus esfuerzos vanos.

Comimos en silencio. Cada vez que alguien intentaba entablar una conversación, se interrumpía a sí mismo, aún dejando la frase por la mitad.

Esta vez no era yo solo el que veía la sombra del ave de rapiña volando en círculos sobre la mesa familiar.

Terminamos de comer pasadas las once. El tiempo que pasó hasta el momento del brindis fue eterno.

Fue la segunda vez que tomé champagne. En el momento de las doce campanadas, toda la familia levantó sus copas. Pero, ¿cómo desearle feliz año a alguien que probablemente no lo termine?

Me acerqué a Ezequiel y le dije un "te quiero" apenas susurrado. El me abrazó y me dijo: "Yo también".

Era todo lo que necesitaba oír.

XXXI

Pasó el verano, no nos fuimos de vacaciones, sólo unos días al campo de la abuela, unos pocos días debería decir, no llegaron a ser diez. Y no vi a Ezequiel hasta marzo. Hablábamos por teléfono casi a diario, ya no ocultaba mi interés por él . Mis padres lo tomaron con resignación, pero tampoco estaban dispuestos a dejarme ir a verlo.

En marzo, con el comienzo de clases, volvía a gozar de una pequeña libertad. En el colegio me anoté en varias actividades extra curriculares, que me permitían estar más tiempo en la Capital. Mi idea era que cuanto más tiempo estuviera alejado de San Isidro, más posibilidades tendría de ver a Ezequiel.

A mediados de marzo volví a su casa. Llegué sin avisar. Ezequiel estaba trabajando. Desde que lo habían echado del estudio hacía pequeños trabajos como freelance, y sospecho que la abuela lo ayudaba económicamente. Jamás se lo pregunté a ninguno de los dos, ni ellos tampoco me lo comentaron.

Se alegró mucho de verme, lo sé. Estaba más delgado que la última vez. Su salud estaba muy deteriorada, cualquier germen que estaba por el aire él se lo agarraba. Tomaba vitaminas y, me contó, había días que no tenía fuerzas para hacer sus caminatas.

–Sabía que cuando empezaran las clases ibas a volver. Lo sabía –me dijo–. Te tengo un regalo.

Y me regaló una foto. La foto era en blanco y negro. Estaba toda oscura, en el centro había una vela iluminando parte de un pentagrama. El pentagrama estaba en clave de Fa (la clave con la que se toca el chelo).

Esa vez no necesité preguntarle nada.

XXXII

Una mañana de domingo, por esa época, había ido hasta el shopping a comprar un libro y me encontré con unos amigos de papá.

–Nos enteramos de lo de Ezequiel –dijeron después de preguntarme por el colegio, la familia y esas cosas. Bastante incómodo es para un niño encontrarse con amigos de su padre en un lugar tan impersonal como un shopping, como para también tener que hablar de cosas tan delicadas como la enfermedad de su hermano. Me quedé callado.

–Es una enfermedad terrible... –insistieron.

–Si...–balbuceé.

–...la leucemia...

–¿La...leucemia..?

–Sí claro. Leucemia. La enfermedad de Ezequiel. Pobrecito.

No recuerdo si les contesté, sé que me fui indignado. Mis padres, al no poder evitar la evidencia de que Ezequiel se iba a morir, tuvieron que inventarle una enfermedad. Como si fuera más digno morirse de leucemia que de SIDA. Como si fuera indigno ser sidoso. Como si en la muerte hubiera alguna dignidad.

XXXIII

Todos los muertos están solos. Todos.

Ezequiel en el cajón parecía más solo todavía.

Tenía la soledad de los muertos, de todos los muertos, pero también, la soledad de la muerte joven. La soledad de una muerte negada por su familia.

Alguien dijo una vez, no sé quién, que el SIDA es como la guerra, son los padres los que despiden a sus hijos.

Ezequiel no tuvo esa suerte. La abuela y yo solamente lo acompañamos hasta el final.

Cuando Ezequiel murió, papá estaba de viaje de negocios.

XXXIV

Una de las tantas tardes que pasé en su casa ese último año, le hablé de Natalia. Era una compañera del taller de periodismo del colegio. A mí me fascinaba. No sólo era bella, bella es la palabra justa, no entraba en los cánones de la hermosura convencional, era inteligente e irreverente. Tan distinta a todas las chicas que había conocido hasta entonces.

−Sacha, me parece que nuestro joven invitado se nos ha enamorado −dijo aplaudiendo.

Esa actitud me fastidió.

−No me jodas, Ezequiel. Yo te cuento de una chica que me gusta. Que no sé qué hacer.

Que tengo miedo a que me rechace y vos me tomás el pelo.

—Miedo al rechazo...Hermanito, voy a decirte algo, tal vez lo único que aprendí en mi corta vida. Si la cuerda no fuera delgada, no tendría gracia caminar por ella.

XXXV

Una semana antes de cumplir los trece, Ezequiel me pidió que un día antes de mi cumpleaños fuera a su casa, que faltara al colegio si era necesario, pero que tenía que estar ahí. Le pregunté por qué, ese día me tocaba taller de periodismo y eso significaba ver a Natalia, se lo expliqué, insistí.

–Sorpresa, sorpresa –dijo, y no dijo nada más.

Obviamente estuve allí.

Me sirvió té con masas. Charlamos de vaguedades, yo estaba muy ansioso, quería saber cuál sería el motivo de tanto misterio. De repente se levantó y trajo el chelo. Se sentó. Y sin decir palabra se puso a tocar la Suite No. 1 en Sol mayor de Bach.

Yo ya la sabía de memoria, la escuchaba a diario en diferentes versiones: la de Pablo Casals, la de Lynn Harrell (mi preferida), la de Rostropovich.

Ahora la escuchaba en la versión de Ezequiel.

Es una pieza tan difícil de tocar bien, que sólo los grandes chelistas se animan a ejecutarla en público.

Indudablemente la versión de Ezequiel no tenía la calidad de las versiones que yo conocía, estaba más cerca de ser un ejercicio de digitación que otra cosa, pero tenía tanto amor en cada nota, tanto sentimiento. Una Suite de tal complejidad sólo se puede ejecutar bien después de años de esfuerzo y con mucho talento.

La versión de Ezequiel era puro sentimiento.

Yo no paraba de llorar.

Cuando finalizó nos abrazamos y lloramos juntos.

La semana siguiente lo internaron por última vez.

XXXVI

Los últimos tiempos de Ezequiel, los de su deterioro físico, son demasiado dolorosos para recordarlos en este momento.

XXXVII

El día del entierro comprendí por qué en las películas los funerales se filman siempre con lluvia. En el cementerio donde lo enterraron los pájaros cantaban, había flores, el césped brillaba. Comprendí que la luz del sol es despiadada, son las sombras las que nos protegen.

Ningún gesto se escapa de la vista de los demás. Ningún rictus de dolor. Con tanta luz, tanta claridad, era más dramática aún la idea de la muerte.

XXXVIII

Los últimos días antes de morir, Ezequiel tenía momentos de lucidez y momentos de delirio. Podía estar hablando normalmente y de repente perder el hilo de la conversación..

Estaba durmiendo cuando llegué a la habitación, la abuela aprovechó mi arribo para ir a tomar un café.

Me senté al lado de la cama y le tomé la mano, mientras se la acariciaba se despertó.

–¿Sabés? Yo te enseñé a caminar.

–Sí, lo sé.

–Vaya paradoja, yo te acompaño en tus primeros pasos, y vos me acompañás en los últimos...

–No digas boludeces, Ezequiel.

Sonrió. Cerró los ojos un rato, cuando los volvió a abrir me dijo:

–He visto cosas que ustedes no creerían. Naves de ataque ardiendo sobre el hombro de Orión...

Está delirando otra vez, pensé. Volvió a sonreír, me apretó la mano. Cerró los ojos y se quedó dormido.

Nunca más los volvió a abrir.

XXXIX

Después que murió Ezequiel nos convertimos durante un tiempo en una familia de fantasmas. Pasábamos por la casa sin vernos. Sin hablarnos.

Poco a poco todo fue volviendo a la normalidad. Mi madre a sus plantas. Mi padre a sus negocios. Y yo, bueno, yo tenía muchas cuentas que cobrarme con mis padres por su trato a Ezequiel.

Pero no tuve el valor.

Seguí dedicándome al colegio, al estudio y a los libros.

Ahora, que terminé el colegio (no logré

medalla de oro), me voy a estudiar a una universidad de los Estados Unidos.

No tengo otra forma de irme de aquí.

No sé si voy a volver. Siento que cada vez son menos las cosas que me atan a este lugar.

XL

Hay una cosa que admiré de Ezequiel. A pesar de todo nunca perdió el entusiasmo, ni la alegría. Nunca se entregó.

–Ninguna enfermedad te enseña a morir. Te enseñan a vivir. A amar la vida con toda la fuerza que tengas. A mí el SIDA no me quita, me da ganas de vivir.

XLI

Al mes del entierro de Ezequiel, la abuela vino a verme.

—Antes de la internación, Ezequiel me pidió que te diera esto. Y me dio un video casete. Era Blade Runner.

—He visto cosas que ustedes no creerían. Naves de ataque ardiendo sobre el hombro de Orión.

Rayos "C" brillando en la oscuridad cerca de Tannhauser.

Todos esos momentos se perderán en el tiempo, como lágrimas en la lluvia. Es hora de morir.

—No sé por qué me salvó la vida. Quizás en los últimos momentos amó la vida más que nun-

ca. No sólo la suya, la de cualquiera... la mía. Buscaba las mismas respuestas que buscamos todos. ¿De dónde vengo? ¿Adónde voy? ¿Cuánto tiempo tengo? Y sólo pude verlo morir.

XLII

Ya amaneció, pasé toda la noche en vela.

Acaba de venir mi madre para avisarme que ya están listos para ir al aeropuerto.

Recién terminé de afinar el chelo por última vez, nunca aprendí a tocarlo, ni lo intenté. Pero, tanto en tanto, lo saco de su estuche, lo limpio y lo afino.

Mi padre me grita que vamos a perder el vuelo. No importa, hay tiempo. El es de los que llegan, por las dudas, dos horas antes del embarque al aeropuerto.

Natalia va a estar en Ezeiza para despedirme. Irá a verme en dos meses. Nada me gustaría más.

XLIII

Ayer volví, después de tantos años, al río.

El agua , las piedras, los árboles, el viento, son los mismos.

Yo ya no soy el mismo.

Ya no me pregunto cómo será mi destino.

Le debo a Ezequiel el haberme enseñado que la vida no es más que eso: Asomar la cabeza, para ver qué pasa afuera, aunque haya tormenta. Y una Suite de Bach.

Printed in the United States
25976LVS00001B/370-372